Un día en Madrid

UN DÍA, UNA CIUDAD, UNA HISTORIA

ERNESTO RODRÍGUEZ

difusión

Colección **Un día en...**

Autor
Ernesto Rodríguez

Coordinación editorial
Pablo Garrido

Redacción
Carolina Domínguez

Diseño y maquetación
Oriol Frias

Traducción
BCN Traducciones

Revisión
Mª Jesús Sánchez

ISBN: 978-84-16273-50-8

Reimpresión: mayo 2016

Impreso en España por Comgrafic

difusión

C/ Trafalgar, 10, entlo. 1ª
08010 Barcelona
Tel. (+34) 93 268 03 00
Fax (+34) 93 310 33 40
editorial@difusion.com

www.difusion.com

Un día en Madrid

UN DÍA, UNA CIUDAD, UNA HISTORIA

ÍNDICE

¡Comparte tus fotos y vídeos de la ciudad!

#undiaenmadrid

Audios y soluciones de las actividades en
difusion.com/madrid.zip

Diccionario visual Capítulo 1

Camiseta

Pelota de fútbol

Bufanda

Jersey

Sombrero

Libro

Zumo de naranja

Bolso

Terraza

Cuadro

Café con leche

Chaqueta

Gorro de lana

CAPÍTULO 1

Son las once de la mañana de este domingo de otoño. Hace un poco de frío en Madrid. La gente ha empezado a sacar la ropa de abrigo[1]: las chaquetas, las bufandas...

Algunas personas llevan sombrero, como un señor que, en este momento camina por la plaza Tirso de Molina. Hay dos niños jugando con una pelota de fútbol. Uno de ellos lleva una camiseta del Real Madrid; el otro, una camiseta del Rayo Vallecano. Una mujer de unos treinta años, que lleva un jersey de color rosa y un gorro de lana, grita[2] a los niños:

—¡Iker! ¡Raúl! ¡Basta ya de jugar con la pelota! ¡Venid aquí!

Los niños cogen la pelota y caminan hacia su madre, que está sentada en una mesa de una terraza que hay en la plaza. Está tomando un café.

La liga de fútbol

En la primera división de la liga de fútbol española juegan cuatro equipos de la Comunidad de Madrid: el Atlético de Madrid, el Getafe, el Real Madrid y el Rayo Vallecano.

En otra mesa de esa misma terraza, Diane mira la escena y sonríe. Piensa en que ser madre tiene que ser un trabajo muy difícil. Ella todavía es muy joven, solo tiene 23 años, y tener hijos no es una prioridad para ella. Tampoco es una prioridad para su chico, Tomás, que tiene 26 años ¡y la mentalidad de un niño de 10!

Diane está enfadada con Tomás. Lo mira, pero él no la mira a ella porque está leyendo su maldito[3] libro sobre el Museo del Prado. Él es de Toledo, pero trabaja en Augsburgo desde hace dos años. El arte es su gran pasión, y ha ido a Madrid solo para ver el Museo del Prado. Parece que no le interesa nada más.

Por la mañana, en el hotel, han discutido[4] por culpa de la obsesión de Tomás con el museo. Se han despertado a las nueve de la mañana, después de una noche muy divertida en la que han salido de fiesta[5] por los bares y las discotecas de la ciudad. Los dos se han despertado con un poco de resaca[6] y muy cansados. Diane le ha dicho a Tomás:

—¿Te acuerdas de Patrizia, la chica italiana del bar de ayer?

—Sí —responde Tomás.

—Me ha dicho que hoy se organiza el Rastro. Patrizia dice que es muy interesante. ¿Por qué no vamos?

—He estado muchas veces en el Rastro, y no me gusta. Hay demasiada gente. Yo, siempre que he ido, lo he pasado fatal. Además, yo quiero ir al Museo del Prado —dice Tomás.

—Tomás, ¿cuántas veces has estado en Madrid?

—Muchas.

—¿Y cuántas veces has ido al Prado?

—Muchas, muchas. Es… como una tradición.

—Ya, pero esta es la primera vez que yo estoy en Madrid y quiero ir al Rastro…

—¿Por qué quieres cambiar de plan ahora? —dice Tomás.

—Yo no cambio ningún plan, porque ir al Museo del Prado no es mi plan. Es tu plan.

—Pero el plan de los dos es estar juntos en Madrid.

—Pues yo no quiero ir al Museo del Prado. Yo quiero ir al Rastro, Tomás —dice Diane.

—Pues a mí no me interesa el mercadillo[7] ese... No hay nada interesante. No quiero ir.

—¡Pues a mí sí que me parece interesante! —grita Diane.

—¡Pues vale! —grita Tomás.

—¡Pues muy bien! —grita Diane.

Y los dos se han quedado en silencio en la habitación del hotel. Se han vestido en silencio, han salido del hotel sin decir ni una palabra y han caminado por las calles de Madrid hasta que Tomás se ha sentado en esta mesa de una terraza en la plaza Tirso de Molina y ha empezado a leer su maldito libro sobre el Museo del Prado. Diane se ha sentado con él, en silencio. Ha llegado el camarero y les ha preguntado:

—¿Qué desean tomar?

—Un café con leche, por favor —dice Tomás.

—Un zumo de naranja para mí —dice Diane.

—Ahora mismo —responde el camarero.

Y cada uno ha bebido de su vaso sin decir nada.

Tomás solo mira el libro. Diane sabe que, en realidad, él no está prestando atención al libro. Ella mira a la gente pasar, a los niños jugando con la pelota, a un grupo de señoras que están de pie al lado de la boca del metro[8] hablando a gritos. Piensa que la gente grita mucho en España. Es la primera vez que está en este país y observa que hay algunas diferencias con respecto a Alemania. La más importante es el ruido[9]: Madrid es una ciudad con mucho más ruido que Augsburgo. Piensa que en el mercadillo del Rastro seguro que hay muchas personas y mucho ruido, y quiere ver toda esa explosión de vida. No le interesa ver pinturas[10] antiguas en un museo: eso es aburrido. Tomás tiene que entenderla. Pero él no quiere saber nada del mercadillo: él solo piensa en pinturas, pinturas y más pinturas.

Tomás mira su taza de café vacía y el vaso de zumo de naranja de Diane, que está también vacío, deja unas cuantas monedas[11] sobre la mesa: no es suficiente para pagarlo todo.

—Necesito un euro y medio más —dice Tomás.

Diane suspira y busca dentro de su bolso. Saca el monedero[12], es de color naranja con flores azules estampadas. Es un accesorio muy llamativo[13] que Diane tiene desde las últimas vacaciones en Roma. A Diane le gustan mucho los colores vivos[14], alegres. Saca del monedero una moneda de dos euros.

—¿Y ahora? ¿Ahora es suficiente? —pregunta ella, mientras deja la moneda sobre la mesa, junto a las otras monedas.

—Sí —responde Tomás.

Se levanta de la silla y dice:

—¿Y bien? Yo me voy al museo. ¿Tú qué haces?

—Eres idiota —dice ella. Se levanta de la mesa, coge su bolso y se va sin despedirse[15].

—¿Cuántas veces he ido yo de compras[16] contigo? ¿O a comer a casa de tus padres? ¿O con tus amigas? —dice él, pero ella lo ignora y, paso a paso, la voz de Tomás se oye más lejos—. ¡Tú no respetas mis costumbres!

Diane se vuelve hacia él, finalmente. Le hace una peineta[17] y sigue andando, dejando a su novio con cara de tonto.

Media hora después, Tomás ya ha llegado al Museo del Prado y ha hecho unos cuantos minutos de cola[18]. Durante todo este tiempo ha pensado que Diane es una persona muy egoísta y que solo piensa en ella. Siempre hacen lo que ella quiere hacer, y, para una vez que él quiere hacer algo, ella no quiere ir con él. Hace menos de un día que conoce la existencia del Rastro y ahora ella quiere ir por encima de todo[19], porque ella no piensa en los demás. Todo lo que le ha dicho en la terraza es verdad: siempre va con ella cuando quiere ir de compras; y no le gusta comer en casa de sus padres, pero él va; y tampoco le gustan sus amigas, pero las acepta porque quiere la felicidad de Diane. Hace muchas cosas por ella. En todo el tiempo que ha ido pensando desde la plaza Tirso de Molina hasta el Museo del Prado, no ha recordado ningún momento en su vida en que Diane ha hecho algo por él.

El metro de Madrid

El metro de Madrid se crea en 1919 con una línea que va de Sol a Cuatro Caminos. Ahora es la sexta red de metro más larga del mundo y el medio de transporte más rápido y eficaz para desplazarse por la ciudad.

Entra en el museo, por fin, y camina directamente hasta una de sus pinturas favoritas: *El jardín de las delicias*, de El Bosco. Observa ese cuadro lleno de vida y de locura[20]. De repente, Tomás entiende que él está en un museo tranquilo, viendo esa vida y esa locura reflejadas en una pintura, y piensa que el mercadillo del Rastro se parece a esa pintura: personas por todos lados, cada uno viviendo su particular locura. Tomás se imagina a Diane dentro de ese cuadro y dice:

—No puedo dejarla sola ahí dentro.

Y, sin pensarlo más, da media vuelta y empieza a andar, sin mirar ninguna de las pinturas que hay en su camino, y sale del Museo, a buscar a esa preciosa mujer que está enfadada con él. Esa chica egoísta de la que está enamorado.

El jardín de las delicias

El *jardín de las delicias* es uno de los cuadros más famosos de El Bosco y se encuentra en el Museo del Prado de Madrid. Esta pintura representa la historia de la creación del mundo.

ACTIVIDADES
CAPÍTULO 1

1

Estos son algunos de los cuadros más importantes que se exponen en el Museo del Prado. Relaciona las imágenes con sus títulos y descripciones.

Las meninas

El jardín de las delicias

Los fusilamientos del tres de mayo

Es la pintura más famosa de El Bosco. Es un tríptico con imágenes simbólicas del paraíso, el mundo de la locura y el infierno.

Es la obra más conocida del pintor Diego Velázquez. Es el retrato de la princesa Margarita de Austria rodeada de sus sirvientas y otros personajes.

Esta obra de Goya muestra la lucha del pueblo español contra el ejército francés.

Tomás y Diane han pensado mucho durante el desayuno. ¿Quién crees que ha pensado cada cosa?

	Diane	Tomás
1. He ido muchas veces al Rastro y no me gusta.		
2. Este chico es muy aburrido. Solo piensa en el arte.		
3. Mmmmm... El zumo de naranja está muy rico en Madrid.		
4. El café está demasiado caliente.		
5. Estoy harta de él: siempre estamos enfadados.		
6. Seguro que piensa que soy un egoísta.		
7. Todos los días hago cosas con él y él nunca hace nada conmigo.		
8. No quiero ver más su cara. Me voy a ir al museo.		

3

Responde a las preguntas.

¿Por qué quiere ir al Rastro Diane?

¿Por qué no quiere ir al Rastro Tomás?

¿Por qué crees que Tomás cambia de opinión en el Museo?

Madrid
LA CIUDAD

Madrid es la capital de España. Con sus tres millones de habitantes, es la ciudad más poblada de España y la tercera de la Unión Europea, por detrás de Berlín y de Londres. Es una ciudad llena de historia y de cultura.

APUNTES
CULTURALES

Madrid es una ciudad con mucha vida y la noche madrileña es famosa en todo el país. En muchos lugares de la ciudad puedes encontrar un buen plan, sin importar el día de la semana. Uno de esos lugares es la Gran Vía. En esta calle y en sus alrededores hay muchos teatros, restaurantes y locales de todo tipo para salir.

Otros lugares importantes de la ciudad son la Puerta de Alcalá, que está en la calle Alcalá, una de las más conocidas de Madrid; la Puerta del Sol; la plaza Mayor; o el parque de El Retiro.

Entre la gran oferta cultural de Madrid destacan museos como el Thyssen-Bornemisza, el Museo Nacional Centro de Arte Reina Sofía y el Museo Nacional del Prado.

Madrid es conocido internacionalmente por sus equipos de fútbol. El Real Madrid es el club con más trofeos internacionales en todo el mundo. El otro gran equipo de la ciudad es el Atlético de Madrid.

Diccionario visual Capítulo 2

Ladrón

Paraguas

Oso

Árbol

Puesto

Revista

Abanico

Gorra

Esquina

Monedero

Bragas

Pantalones

CAPÍTULO 2

Muchas personas por todas partes gritando cosas que Diane no puede entender. Empujones[1], gente, gritos[2] y más gritos.

—¡Señorita! ¿Busca un abanico típico de aquí? ¡Está hecho en España! —dice una señora que está en un puesto de *souvenirs*.

—¡Guapa, mira qué camisas más bonitas tengo! —dice un chico que está en el puesto de enfrente.

—¡Cuidado por dónde vas! —grita una señora que se cruza[3] en el camino de Diane.

El mercadillo es increíble: cada segundo encuentra una historia diferente. La mujer de los paraguas parece que ha vivido un tiempo en Alemania, porque le ha dicho algunas palabras con acento alemán. El señor mayor que vende pósteres de corridas de toros[4] tiene una cicatriz[5] en la cara. Seguro que detrás de esa cicatriz hay una buena historia. La chica del puesto de sombreros es de algún

Los toros

Las corridas de toros son un espectáculo que se ha practicado durante mucho tiempo en España. En la actualidad, algunos consideran que torear es un arte, pero también hay personas que creen que es un atentado contra los derechos de los animales. En algunos lugares se han prohibido las corridas.

país lationamericano. Diane se pregunta por qué está en España, cuál es la historia de esa chica. Diane piensa que Tomás tiene que ver esto, tiene que estar dentro de estas historias, pero lo malo es que Tomás es imbécil[6] y prefiere ver cuadros.

En un puesto de libros, hay un señor mayor cantando una divertida canción en un idioma que Diane no puede entender. Delante del señor, una mujer grita que tiene las bragas de oferta[7]. La gente va y viene, y Diane, entre empujones y gente, intenta avanzar[8]. Una mano se apoya[9] en su hombro.

Diane mira hacia atrás. Ve a una chica joven, con el pelo rizado y negro, y los ojos verdes. Tiene una revista en la mano.

—¡Hola! Mira, estoy vendiendo mi revista, es sobre música y…

—No, no, disculpa pero no estoy interesada —dice Diane, pero la chica vuelve a apoyar la mano en su hombro.

—Oye, solo es un euro…

—No me interesa la revista esa, de verdad. ¿Me disculpas?

Alrededor de Diane y la chica de la revista, muchas personas van y vienen en muchas direcciones. Cerca de Diane pasa la señora que tiene las bragas de oferta buscando nuevos clientes.

—¡Tres bragas al precio de dos, señora! —grita, alejándose poco a poco de Diane.

Diane observa un momento a esa mujer, se fija en su extraño aspecto. La mujer no intenta vender sus bragas a nadie más.

—¿Y bien? ¿Me compras una copia de la revista? —la chica de los ojos verdes lo intenta otra vez.

Diane dice que no con la cabeza, se aleja[10] de la chica de los ojos verdes sin decir nada y vuelve a mirar el mercadillo. Hay un pequeño puesto de cuadros. Algunos de ellos pueden estar en el

Museo del Prado, piensa Diane. Se pregunta si Tomás está pensando en ella o solo está pensando en los cuadros del museo. Piensa que él es un poco egoísta, pero que, por otro lado, tiene razón cuando dice que ella también es egoísta. A veces, Diane se olvida de pensar en los demás, es verdad, pero… ¿es ese un problema tan grande?

Unos minutos después, Diane se para delante de un puesto de camisetas. En una de ellas puede ver una imagen de un oso subiendo a un árbol; es un dibujo[11] que ha visto en otros lugares de la ciudad. Diane coge la camiseta para mirarla con más atención.

—¿Te gusta la camiseta? —dice la mujer del puesto.

—Sí, es muy bonita… ¿Significa algo este dibujo? Lo he visto en más sitios —dice Diane.

—Es *El oso y el madroño*, el símbolo[12] de Madrid.

—¿Madroño?

—Es un árbol.

—¿Qué clase de árbol?

El oso y el madroño

El oso y el madroño es una escultura de 1967 obra del escultor Antonio Navarro Santafé. Está situada en la Puerta del Sol y es uno de los emblemas de la ciudad.

—Ay, yo qué sé... ¿Quieres la camiseta? Son solo quince euritos.

—¿Tienes XL? Es para mi chico —dice Diane, contenta por pensar en su chico.

Está pensando en la cara que va a poner Tomás. Va a decirle: "Diane, perdona, estoy equivocado, tú sí que piensas en los demás. Me encanta esta camiseta, eres la mejor. ¿Quieres casarte conmigo?". Diane sonríe contenta. Va a ser la mejor novia del mundo y Tomás nunca va a volver a decirle que no piensa en las otras personas. Cuando va a coger el monedero de su bolso, observa que está abierto. Se pone nerviosa. Mira dentro del bolso y no encuentra el monedero. ¿Lo ha perdido? ¿Se ha caído de su bolso? Pero no es posible, ella nunca deja el bolso abierto. Seguro que alguien lo ha abierto y se ha llevado su monedero, pero, ¿cuándo? ¿En qué momento se ha despistado[13]? Oh, claro. La maldita chica de la revista.

El teléfono móvil de Diane está encendido, pero ella no contesta. Tomás acaba de llegar a la plaza Tirso de Molina, el lugar donde se han separado esta mañana. No sabe dónde está su chica, así que decide seguir el camino que ella ha tomado cuando se han despedido. ¡Diane le ha hecho una peineta! Tiene un carácter demasiado fuerte. Menos mal que él es un chico tranquilo y normalmente no discute.

Paso a paso, en las calles hay más y más personas: algunas personas gritan ofertas de productos que a Tomás no le interesan; otras personas miran a un lado y a otro buscando algo, o a alguien; otros solo caminan en silencio, cruzando sus caminos en esa enorme danza caótica. Estar dentro de *El jardín de las delicias* puede ser parecido a estar dentro del Rastro. Tomás necesita encontrar su locura particular dentro de este cuadro, pero su locura no contesta al teléfono. Delante de Tomás hay un largo camino, lleno de puestos de ropa, de paraguas, de pintura y de personas que van de un lado a otro, de gritos y de empujones. ¿Cómo puede encontrar a Diane entre toda esa gente?

Diane vuelve por donde ha estado. Tiene que encontrar a la chica de los ojos verdes, porque le ha robado[14] el monedero con la excusa de la revista. La encuentra donde la ha visto antes, ofreciendo su revista a todas las personas que pasan por la zona.

—¡Toda la actualidad musical y cultural de Madrid por un euro! —dice la chica, pero nadie la escucha.

Diane puede verla a lo lejos. Un chico pasa junto a la chica de la revista. La chica le pone una mano sobre el hombro, como antes ha hecho con Diane. El chico, igual que Diane, se gira hacia la chica de los ojos verdes:

El Rastro

En los puestos del Rastro no se pueden vender animales vivos ni comida, pero se puede encontrar una enorme variedad de ofertas: desde productos de segunda mano hasta utensilios para el hogar, libros o todo tipo de obras artísticas.

—Hola, mira, estoy vendiendo una revista…

El chico, que está de espaldas a Diane, dice algo que ella no puede entender. Poco a poco, se acerca hasta la chica de la revista y el chico, que parece que va a comprarle una copia de la revista. Cuando está cerca de ellos, Diane grita:

—¡Cuidado! Es una ladrona.

La gente mira con atención a Diane, a la chica de los ojos verdes y al chico que está comprando la revista.

—¿Eres una ladrona? —pregunta el chico.

—¡No! —dice la chica—. ¡Esta tía[15] está loca! ¿Por qué dices que soy una ladrona? ¡¿Eh?! ¡Me estás asustando[16] a los clientes!

—¡Eres una ladrona! ¡Me has robado el monedero!

—¿Qué dices? —responde la chica, a gritos.

—¡Mi monedero! —repite Diane, muy nerviosa.

—¿Pero de qué me estás hablando?

—Es naranja, con unas flores azules dibujadas —Diane está cada vez más nerviosa—. ¡Devuélvemelo!

—Yo a ti no te he robado nada, guiri[17].

—¡Una ladrona! ¡Una ladrona! —grita una mujer que ve la escena.

—¡Señora! ¡No soy una ladrona! —dice la chica de la revista.

—¡Pero tú me has robado el monedero! —grita Diane.

—¡Que yo no te he robado! ¡Solo estoy vendiendo mi revista! —grita la chica de los ojos verdes. Luego mira a su alrededor y ve que el chico con el que ha hablado se está alejando de ella y de Diane—. ¡Mierda![18] Me has hecho perder un cliente.

Diane mira hacia el chico, que se aleja de ellas entre el océano de gente del Rastro. El chico se cruza con la señora que vende bragas, que está mirando a Diane y a la chica de la revista.

—Espera un momento... —dice Diane—. Esa mujer...

Diane va hacia la mujer, sin decir nada más. La chica de la revista le grita:

—¡Oye, no te puedes ir así! ¡He perdido un cliente! ¡Ahora tienes que comprarme una copia de la revista!

—¿Cómo? ¡No tengo dinero! ¡Lo tiene esa mujer! —dice Diane, que empieza a correr hacia la mujer de las bragas. La mujer de las bragas, que está mirando a Diane, no se mueve. Cuando Diane llega hasta ella, la mujer le dice:

—Hola, cariño, ¿quieres unas bragas? Están de oferta: tres al precio de dos.

—¿Dónde está mi monedero? —dice Diane.

—Oye, niña, ¿tú quién te has creído que eres? ¿La policía?

La policía, eso es lo que necesita Diane. Tiene que encontrar a unos policías y contarles lo que ha ocurrido, pero... ¿qué pueden hacer ellos? Este mercado es enorme y está lleno de gente. Una persona puede robar cualquier cosa y, en menos de un segundo, dársela a otra. Quizás la mujer que vende bragas ahora no tiene su monedero, pero Diane está cada vez más segura de que esa mujer ha sido la ladrona que se lo ha robado. ¿Dónde puede estar su monedero? ¿Quién lo tiene ahora? ¿Cómo lo puede encontrar?

Otra vez, una mano le toca el hombro. Otra vez, es la chica de los ojos verdes.

—¿Qué? ¿Qué pasa ahora? Ya te he dicho que no tengo mi monedero... —dice Diane.

—Ya. Me has dicho que es naranja y que tiene unas flores azules dibujadas, ¿verdad? —pregunta la chica de la revista.

—Sí... —responde Diane.

La chica le señala[19] a un chico que está apoyado en la esquina de un edificio a unos metros de ella. Lleva una gorra de color rojo, una camiseta de baloncesto de color amarillo y unos pantalones negros. Tiene un cigarro en una mano y el monedero de Diane en la otra. La chica de la revista dice:

—Oye, me parece que tu ladrón es el tío ese de ahí.

ACTIVIDADES
CAPÍTULO 2

Observa esta fotografía del Rastro de Madrid e identifica algunos de los objetos que aparecen en ella.

☐ Una lámpara

☐ Una muñeca

☐ Un sombrero

☐ Un ventilador

☐ Un coche de juguete

☐ Una sombrilla

☐ Unas zapatillas de deporte

2

Ordena la siguiente conversación entre Diane y la mujer que vende camisetas en el Rastro.

Diane

—Buenos días. ¿Cuánto cuesta esa camiseta?
—¡Qué interesante! Quiero una camiseta azul de talla XL, por favor.
—¿Significa algo ese dibujo? Lo he visto en más sitios.
—Ah, no es muy cara, ¿en qué colores la tiene?
—¿Puedo verla en color azul?
—Aquí tiene, gracias.

Vendedora

—Es *el oso y el madroño*. El símbolo de Madrid.
—A usted.
—Buenos días. Cuesta 15 euros.
—Este modelo lo tengo en color amarillo, rojo, blanco y azul.
—Claro. Mire, con la camiseta en azul, el dibujo es blanco.
—Muy bien, aquí tiene. Son quince euros.

Diane: *Buenos días. ¿Cuánto cuesta esa camiseta?*
Vendedora: ...

3

Tomás ha llamado a Diane pero ella no contesta al teléfono. Este es el mensaje que le ha dejado en el buzón de voz. Complétalo con los siguientes verbos en la forma adecuada.

contestar | ser | querer | estar (x2) | ser | poder | saber

Hola, Diane: ¿dónde (tú) _____? Te he llamado tres veces pero no (tú) _____ al teléfono. Seguro que todavía _____ enfadada. Oye, estoy llegando al Rastro, pero este mercado _____ muy grande y no (yo) _____ dónde _____ encontrarte. (Yo) _____ decirte que _____ un tonto y que, a partir de ahora, vamos a hacer lo que tú quieras.

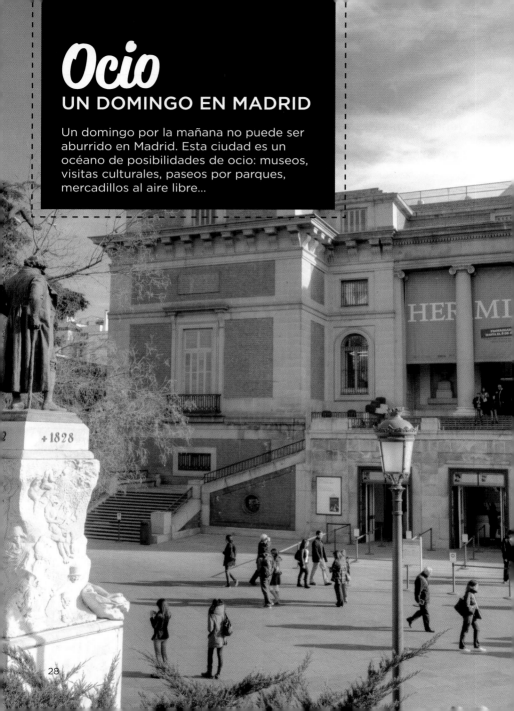

Ocio

UN DOMINGO EN MADRID

Un domingo por la mañana no puede ser aburrido en Madrid. Esta ciudad es un océano de posibilidades de ocio: museos, visitas culturales, paseos por parques, mercadillos al aire libre...

APUNTES
CULTURALES

El Museo Nacional del Prado es uno de los museos más visitados en todo el mundo y el más importante en pintura europea. Tiene muchas de las grandes obras maestras de la pintura europea entre los siglos XVI y XIX de grandes pintores de la historia como Goya, Velázquez, El Greco o El Bosco.

El parque de El Retiro está en el centro de Madrid. En él encontramos una rosaleda, un estanque con barcas, muchas zonas verdes, el Palacio de Cristal y el Palacio de Velázquez, actualmente salas de exposiciones.

Otro de los museos más importantes es el Museo Nacional Centro de Arte Reina Sofía. Cuenta con obras de Dalí, Bacon, Picasso... Uno de los cuadros estrella es el *Guernica*, el cuadro más famoso de Pablo Picasso.

El Rastro es un mercado al aire libre que se organiza cada domingo desde 1740. Actualmente cuenta con más de 3500 puestos. Es una de las citas obligadas de la ciudad.

Diccionario
visual Capítulo 3

Tesoro

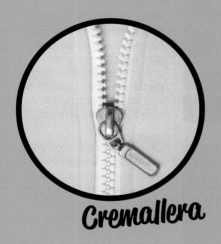

Cremallera

Escaleras

Abrazo

Tarjeta de crédito

Bolsillo

CAPÍTULO 3

—¡Jonathan! —grita la vendedora[1] de bragas.

Diane y la chica de la revista ven que el chico que está apoyado en la esquina, el de la gorra roja, mira hacia la mujer, que está a unos veinte metros de él. Las chicas entienden que la vendedora y el chico de la gorra están compinchados[2]. El chico tira el cigarro, dobla la esquina[3] y desaparece[4]. Diane ya no puede verlo y empieza a correr entre la gente, tropezando[5] con algunas personas.

Cuando Diane llega a la esquina, escucha la voz de la chica de los ojos verdes, que está corriendo detrás de ella:

—Por aquí tiene que girar a la izquierda. No hay más opciones.

Diane y la chica de la revista giran en la primera calle a la izquierda. Casi al final de la calle hay unas escaleras, Jonathan está subiendo a gran velocidad.

La Latina

La Latina, el barrio donde está el Rastro, es uno de los más antiguos de Madrid. Está lleno de calles estrechas y plazas. Actualmente es uno de los barrios de moda para salir a tomar algo.

—¡Lo perdemos! —grita Diane.

—¡Al ladrón!⁶ —grita la chica de la revista.

Jonathan no es un ladrón. Jonathan es solo un chico que corre muy rápido. Ese es su trabajo: coger el tesoro y desaparecer si es necesario. Correr más rápido que nadie, ser más escurridizo⁷ que nadie. Conocer el camino mejor que nadie, poder correr y mirar hacia atrás al mismo tiempo. El problema es que, a veces, la suerte⁸ te abandona⁹.

La suerte ha abandonado a Jonathan. Justo después de las escaleras cuando dobla la esquina, choca¹⁰ contra alguien que no tiene que estar ahí. Se cae¹¹ al suelo¹². El otro chico también cae al suelo. Las chicas, a lo lejos, gritan:

—¡Al ladrón! ¡Al ladrón!

Jonathan reacciona¹³ y se levanta otra vez. En el suelo está el monedero de Diane. El chico ve el monedero y dice:

—Espera un momento, ese monedero…

Jonathan se agacha para coger el monedero, pero el otro chico lo coge antes que él. Sentado¹⁴ en el suelo, lo mira. Abre la cremallera y ve que están las cosas de su chica: sus documentos, su tarjeta de crédito y algo de dinero.

—Es el monedero de Diane…

—¡Al ladrón! ¡Al ladrón! ¡Al ladrón! —gritan las chicas, cada vez más cerca.

Jonathan no es un ladrón. Jonathan es solo un chico que corre muy rápido. Ha perdido el tesoro. Esta vez no ha tenido suerte… Pero corre más rápido que nadie, así que decide escapar¹⁵ de nuevo, desaparecer de la vista de todo el mundo.

Cuando las chicas llegan hasta el hombre sentado en el suelo, Jonathan ya no está. Las chicas se paran, cansadas. Diane ve que su monedero está en las manos de Tomás, su chico.

—Mi ángel de la guarda[16] —dice ella.

Diane se agacha y le da un abrazo a Tomás. Lo ayuda a levantarse y le dice a la chica:

—Muchas gracias, de verdad. Y, por favor, discúlpame por decir que eres una ladrona. Soy una estúpida.

—Sí, y una egoísta —dice la chica.

—Sí, y una egoísta, es verdad —responde Diane.

—¿Ah, sí? —dice Tomás—. ¿Has dicho que eres una egoísta? Diane mira a Tomás enfadada.

—Yo creo que ahora no es el momento para decir eso.

—He recuperado[17] tu monedero, al menos puedes darme las gracias —responde Tomás.

—He dicho que eres mi ángel de la guarda, ¿te parece poco eso? —dice Diane.

—Me parece una cursilada[18] —dice Tomás.

—Y a mí también —dice la chica de la revista.

Diane y Tomás miran a la chica de la revista.

—Bueno, creo que tenéis que hablar de vuestras cosas... —dice entonces la chica—. Me compráis una revista y yo me voy, ¿de acuerdo?

Diane busca algo de dinero en su monedero y se lo da. La chica le da una copia de la revista y mete la moneda en el bolsillo.

—Gracias —dice la chica.

—Gracias —dice Diane.

La chica dice adiós con la mano y se va hacia las calles del Rastro a vender su revista.

Diane y Tomás se quedan allí, de pie, mirándose, sin saber exactamente qué decir.

ACTIVIDADES
CAPÍTULO 3

①

Completa este texto sobre el mercado del Rastro con las palabras que tienes a continuación.

domingos | ladrones | despistadas | todo | vendedores historia | mercado | plan | capital

El Rastro es un _____ al aire libre que se celebra todos los _____ en la _____ de España. Tiene más de 400 años de _____ y en él se puede encontrar de _____.

Pasear por el Rastro es el _____ favorito de muchos madrileños para una mañana de domingo, pero siempre con cuidado: además de los _____ y los artistas, también puede haber _____ buscando personas _____ a las que robar sus objetos personales.

¿Qué camino ha hecho Jonathan cuando se ha escapado?

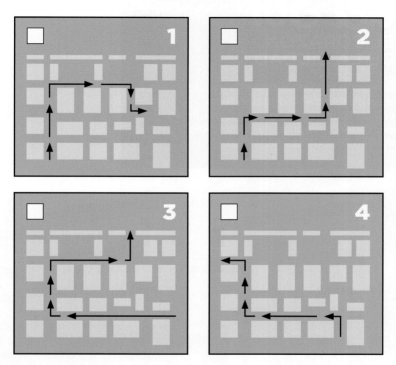

Ha subido la calle hasta que ha girado a la derecha en el segundo cruce. Ha caminado todo recto hasta que, en la tercera esquina, ha girado a la izquierda. Luego, ha cruzado la plaza.

La Puerta del Sol

EL CORAZÓN DE LA CIUDAD

La Puerta del Sol es una plaza rectangular en el centro de Madrid donde se encuentran el edificio de la Comunidad de Madrid y algunos de los símbolos más emblemáticos de la ciudad.

APUNTES
CULTURALES

En la Puerta del Sol siempre hay vida y movimiento.
Pueden verse cientos de personas yendo en todas
direcciones, manifestaciones, músicos callejeros,
gente disfrazada de Mickey Mouse, Bob Esponja y
otros personajes infantiles, niños corriendo, gente
comiendo churros, familias de compras...

Delante de la Real Casa
de Correos (el edificio
más antiguo de la plaza)
está el kilómetro cero,
que es el origen
de las carreteras radiales
españolas.

Con el reloj del edificio
de La Real Casa de
Correos se hace la cuenta
atrás para el cambio
de año el 31 de diciembre.
Esa noche en la Puerta
del Sol se celebra una
gran fiesta para festejar
la entrada del nuevo año.

El oso y el madroño es
otro de los iconos de
la Puerta del Sol y es el
emblema de la ciudad.
¡La fotografía con la
escultura es obligatoria!

Diccionario visual Capítulo 4

Banco

Césped

Beso

Ramas

Estanque

Cerveza

Cabeza

Bocadillo
de calamares

Cara

CAPÍTULO 4

Un rato[1] después, los dos están sentados en un banco del parque del Retiro. Han caminado hasta allí recorriendo el camino hacia el Museo del Prado, que está cerca del parque, y que Tomás conoce perfectamente. Han caminado un poco por el paseo del Prado y han girado hacia el parque. Dentro del parque, han paseado por el césped, han dado una vuelta alrededor del gran estanque, han tomado una cerveza en una terraza y se han sentado en el banco en el que están ahora. Y en todo este rato no han dicho ni una palabra.

Tomás no dice nada, porque no sabe si tiene que decirle a Diane algo bueno o algo malo. No sabe si tiene que echarle en cara algo[2], o decirle que no ha sido culpa[3] suya. La verdad es que la razón del silencio de Tomás es que no quiere decir la primera palabra. Ella es quien tiene que hablar.

El paseo del Prado

El paseo del Prado es el jardín histórico urbano más antiguo de Madrid. Comienza en la famosa fuente de Cibeles y llega hasta la estación de Atocha. En este paseo se encuentran varios museos y monumentos importantes de la ciudad.

"¿Por qué no habla? ¿Está enfadado conmigo? ¿Quiere romper conmigo[4]? Tengo que decirle algo, pero no sé qué decir", piensa Diane. Ella está mirando un árbol que tienen delante. Finalmente, dice:

—Tomás…

"¡Por fin![5]", piensa Tomás, "¡por fin vas a pedirme perdón[6] por ser tan egoísta!". Tomás sonríe y dice:

—¿Sí?

—¿Tú sabes qué es un madroño?

Tomás no sabe qué decir. Esa pregunta le ha sorprendido[7]. Es una forma muy extraña de pedir perdón.

—Sí… es un árbol —dice él.

—Exacto. Me pregunto si este árbol que hay aquí es un madroño.

—Eso parece un roble[8] —responde él.

—No sé. No sé nada sobre árboles —dice Diane.

"¡Diane, por favor! ¿Eso es todo lo que puedes decir en este momento?", piensa Diane.

Tomás parece distraído[9]. Está mirando el árbol. Quizás está pensando en que ese árbol no es un roble. O quizás está pensando en romper con ella. Quién sabe.

—He visto una camiseta con el símbolo de Madrid. Es un oso y un madroño. El dibujo se parece a este árbol. Yo creo que no es un roble, Tomás. Creo que es un madroño.

—Pues vale —dice Tomás.

—La camiseta que he visto es muy bonita. He pedido una XL para ti, pero no he podido comprarla… El monedero, ya sabes.

Tomás se rasca[10] la cabeza, nervioso.

—¡Es que eres muy despistada, Diane! —grita Tomás.

—¡No!

—¡Sí!

—¡Ha sido un robo[11] muy profesional! —dice Diane

—¡Me da igual! La chica de la revista tiene razón: eres una egoísta. ¡No es tan difícil pedir perdón! ¡Estoy preparado para perdonarte!

—¿Perdonarme por qué? —pregunta Diane.

—Por querer hacer siempre tus cosas preferidas. ¡Nunca me escuchas! He tenido que ir yo a buscarte al Rastro.

—Yo no te lo he pedido. Además, te he dicho que eres mi ángel de la guarda.

—¿No entiendes que eso no es suficiente? —pregunta Tomás.

—¿Por qué no? —dice ella.

—Porque quiero besarte[12], Diane, quiero besarte desde que esta mañana te has ido de la terraza haciéndome una peineta. Mira, soy así de tonto. Tú me haces una peineta y yo quiero darte un beso apasionado[13]. Supongo que soy idiota. Sí. Soy un idiota, Diane. A veces, no entiendo por qué me he enamorado de alguien como tú.

—Sí que eres un poco idiota, pero eres mi idiota —sonríe ella.

La plaza Mayor

La plaza Mayor de Madrid se encuentra en el centro de la ciudad. Mide 129 metros de largo y 94 de ancho. La plaza está totalmente rodeada por edificios de tres pisos y tiene nueve puertas de entrada.

Diane le acaricia[14] la cara a Tomás. Luego, dice muy despacio:

—Perdóname, por favor.

Y le da un beso largo, muy largo. Por un momento, solo se escucha el sonido de ese beso y las ramas de los árboles moviéndose. Después del beso, se miran. No necesitan decirse con palabras que se quieren.

—Tengo hambre —dice Tomás.

—Y yo —responde Diane.

—¿Qué te apetece comer?

—Me has hablado muchas veces de los bocadillos de calamares.

—¡Oh, es una idea estupenda!

—Sí. Es tu idea —dice ella.

Tomás sonríe, se levanta y le tiende la mano[15] a Diane, que la coge y se levanta también. Y así, cogidos de la mano, empiezan a andar por el parque mientras hablan de todo lo que no han hablado durante estas estúpidas horas en las que han estado enfadados.

FIN

Bocata de calamares

Un plato que tiene mucho éxito en esta ciudad es el bocadillo de calamares. Cerca de la plaza Mayor puedes encontrar muchos bares especializados en este delicioso y económico manjar.

ACTIVIDADES
CAPÍTULO 4

Responde a estas preguntas sobre el día de Diane y Tomás.

¿Cómo es el monedero de Diane?

¿Por qué Diane cree que la chica de la revista le ha robado el monedero?

¿Quién le ha robado el monedero en realidad?

¿Qué hace Tomás para ayudar a Diane?

¿Qué deciden hacer Diane y Tomás para terminar el día juntos?

2

Busca en Internet información sobre el parque del Retiro y rellena la siguiente ficha.

Parque del Retiro

Tamaño: .... *Creación:* ....

Monumentos importantes:

....

....

Edificios para visitar:

....

....

Actividades que se pueden hacer en el parque:

....

....

Comer en Madrid

LOS PLATOS ESTRELLA

Madrid ofrece una oferta gastronómica inmensa: se puede encontrar desde el típico bar de tapeo hasta el local más exclusivo de todo el país, comer platos de todos los lugares del mundo o disfrutar de los platos más tradicionales de la ciudad.

APUNTES
CULTURALES

El chocolate con churros es un plato típico español que se toma como desayuno o como merienda, especialmente en los meses de invierno. Cerca de la plaza Mayor de Madrid puedes tomarlo en San Ginés, una de las churrerías mas famosas de la ciudad.

El Restaurante Botín es el restaurante más antiguo del mundo. ¡Funciona desde 1725! Se encuentra muy cerca de la plaza Mayor y sus especialidades más famosas son el cochinillo y el cordero asados.

Los huevos estrellados son un plato que hay que comer recién cocinado. Los ingredientes son huevos, patatas y jamón. Es una receta sencilla, pero exquisita. Uno de los mejores restaurantes para probarlos es Casa Lucio.

El cocido madrileño es uno de los platos más típicos. Es un guiso de garbanzos, carnes y verduras. Se sirve separándolo en tres platos. El Restaurante Malacatín o la Cervecería Cruz Blanca de Vallecas son famosos por sus cocidos.

GLOSARIO

CAPÍTULO 1

CASTELLANO	INGLÉS	FRANCÉS	ALEMÁN	NEERLANDÉS
1. Ropa de abrigo	Warm clothes	Vêtements chauds	Warme Kleidung	Warme kleding
2. Gritar	Shout	Crier	Schreien	Schreeuwen
3. Maldito/-a	Damned	Maudit/-e	Verflixt	Rot-
4. Discutir	Argue	Se disputer	Streiten	Ruzie maken
5. Salir de fiesta	Go partying	Faire la fête	Feiern gehen	Uitgaan
6. Resaca	Hangover	Gueule de bois	Kater	Kater
7. Mercadillo	Street market	Marché	Flohmarkt	Rommelmarkt
8. Boca de metro	Underground station	Bouche de métro	U-Bahn-Eingang	Metro-ingang
9. Ruido	Noise	Bruit	Lärm	Lawaai
10. Pintura	Painting	Peinture	Gemälde	Schilderij
11. Monedas	Coins	Pièces	Münzen	Munten
12. Monedero	Purse	Porte-monnaie	Portemonnaie	Portemonnee
13. Llamativo/-a	Striking	Voyant/-e	Auffällig	Opvallend
14. Colores vivos	Bright colours	Couleurs vives	Lebendige Farben	Levendige kleuren
15. Despedirse	Say goodbye	Prendre congé	Sich verabschieden	Afscheid nemen
16. Ir de compras	Shopping	Faire du shopping	Shoppen gehen	Gaan winkelen
17. Hacerle una peineta a alguien	Give someone the finger	Faire un bras d'honneur	Jemandem den Stinkefinger zeigen	Zijn middelvinger tegen iemand opsteken
18. Hacer cola	Queue	Faire la queue	Sich anstellen	In de rij staan
19. Por encima de todo	More than anything	Par dessus tout	Auf Biegen und Brechen	Vooral
20. Locura	Madness	Folie	Wahnsinn	Waanzinnigheid

CAPÍTULO 2

CASTELLANO	INGLÉS	FRANCÉS	ALEMÁN	NEERLANDÉS
1. Empujón	Jostling	Bousculade	Schubs	Duw
2. Grito	Shout	Cri	Schrei	Geschreeuw
3. Cruzarse	Cross	Passer devant	Über den Weg laufen	Tegenkomen
4. Corrida de toros	Bullfight	Corrida	Stierkampf	Stierengevecht
5. Cicatriz	Scar	Cicatrice	Narbe	Litteken
6. Imbécil	Idiot	Imbécile	Idiotisch	Idioot
7. De oferta	On offer	Rabaissées	Im Angebot	In de aanbieding
8. Avanzar	Move forward	Avancer	Vorankommen	Vooruitkomen
9. Apoyarse	Rest	S'appuyer	Sich legen auf	Leunen
10. Alejarse	Drive away	S'éloigner	Sich entfernen	Zich verwijderen
11. Dibujo	Drawing	Dessin	Zeichnung	Tekening
12. Símbolo	Symbol	Symbole	Symbol	Symbool
13. Despistarse	Be off one's guard	Ne pas faire attention	Sich ablenken lassen	Afgeleid worden
14. Robar	Steal	Voler	Stehlen	Stelen
15. Tío/-a	Guy/woman	Mec/ nana	Typ/Tussi	Vent/mens
16. Asustar a alguien	Scare off	Effrayer quelqu'un	Jemanden erschrecken	Iemand laten schrikken
17. Guiri	Gringo	Touriste	Touri	Buitenlander
18. ¡Mierda!	Shit!	Merde !	Scheiße!	Shit!
19. Señalar	Point	Montrer	Zeigen	Aanwijzen

CAPÍTULO 3

CASTELLANO	INGLÉS	FRANCÉS	ALEMÁN	NEERLANDÉS
1. Vendedor/-ora	Salesman/Saleswoman	Vendeur/ vendeuse	Verkäufer/in	Verkoper/verkoopster
2. Estar compinchado/-a	Be in cahoots with someone	Être complice	Unter einer Decke stecken	Onder één hoedje spelen
3. Doblar la esquina	Turn the corner	Tourner au coin de la rue	Um die Ecke biegen	De hoek omslaan
4. Desaparecer	Disappear	Disparaître	Verschwinden	Verdwijnen
5. Tropezar	Bump into	Heurter	Zusammenstoßen	Stuiten op
6. ¡Al ladrón!	The thief!	Au voleur !	Haltet den Dieb!	Houd de dief!
7. Escurridizo/-a	Slippery	Leste	Schwer zu fassen	Glad
8. Suerte	Luck	Chance	Glück	Geluk
9. Abandonar	Abandon	Abandonner	Verlassen	In de steek laten
10. Chocar	Bump into	Percuter	Zusammenprallen	In botsing komen
11. Caerse	Fall	Tomber	Fallen	Vallen
12. Suelo	Floor	Par terre	Boden	Grond
13. Reaccionar	React	Réagir	Reagieren	Reageren
14. Sentado/-a	Sitting	Assis/-e	Sitzend	Zittend
15. Escapar	Escape	Échapper	Entkommen	Ontsnappen
16. Ángel de la guarda	Guardian angel	Ange gardien	Schutzengel	Beschermengel
17. Recuperar	Get back	Récupérer	Wiedererlangen	Terugkrijgen
18. Cursilada	Load of soppy rubbish	Niaiserie	Kitschig	Aanstellerij

CAPÍTULO 4

CASTELLANO	INGLÉS	FRANCÉS	ALEMÁN	NEERLANDÉS
1. Rato	While	Moment	Weile	Poosje
2. Echar algo en cara	Blame someone for something	Faire des reproches	Jemandem etwas vorwerfen	Iets verwijten
3. Culpa	Fault	Faute	Schuld	Schuld
4. Romper con alguien	Break up with someone	Casser avec quelqu'un	Mit jemandem Schluss machen	Het met iemand uitmaken
5. ¡Por fin!	At last!	Enfin!	Endlich!	Eindelijk!
6. Pedir perdón	Say sorry	Demander pardon	Um Entschuldigung bitten	Zich verontschuldigen
7. Sorprender	Surprise	Surprendre	Überraschen	Verrassen
8. Roble	Oak	Chêne	Eiche	Eik
9. Distraído/-a	Distracted	Distrait/-e	Abgelenkt	Afwezig
10. Rascarse	Scratch	Se gratter	Sich kratzen	Zich krabben
11. Robo	Theft	Vol	Diebstahl	Diefstal
12. Besar	Kiss	Embrasser	Küssen	Een kus geven
13. Apasionado/-a	Passionate	Passionné/e	Leidenschaftlich	Hartstochtelijk
14. Acariciar	Caress	Caresser	Streicheln	Strelen
15. Tender la mano	Give one's hand	Tendre la main	die Hand reichen	De hand reiken

Madrid
LA CIUDAD

Madrid
THE CITY

Madrid is the capital of Spain. With its three million inhabitants, it is the largest city in Spain and the third largest in the European Union, after Berlin and London. It is a city full of history and culture.

Madrid is a very lively city and the nightlife is famous throughout the country. There are many places in the city that offer entertainment any day of the week. One is the Gran Vía. In and around this street there are many theatres, restaurants and all kinds of places to visit.

Other important places in the city are the Puerta de Alcalá, which is in Calle Alcalá, one of the best known streets in Madrid; The Puerta del Sol; the Plaza Mayor; or the El Retiro park.

The wide range of places of cultural interest in Madrid include museums such as the Thyssen-Bornemisza, Museo Nacional Centro de Arte Reina Sofia and the Prado Museum.

Madrid is world famous for its football teams. Real Madrid is the club with most international trophies in the world. The other big city team is Atletico Madrid.

Madrid
LA VILLE

Madrid est la capitale de l'Espagne. Avec trois millions d'habitants, elle est la plus grande ville d'Espagne en population et la troisième de l'Union Européenne, derrière Berlin et Londres. Il s'agit d'une ville remplie d'histoire et de culture.

Madrid est une ville pleine de vie et sa fête nocturne est célèbre dans tout le pays. De nombreux endroits de la ville offrent de bons plans, quel que soit le jour de la semaine. L'un d'eux est la Gran Vía. Une multitude de théâtres, restaurants et clubs en tout genre occupent cette rue et ses environs.

D'autres lieux importants de la ville sont la Puerta de Alcalá, qui se trouve dans la rue Alcalá, l'une des plus connues de Madrid ; La Puerta del Sol ; la Plaza Mayor ; ou le parc d'El Retiro.

Parmi la grande offre culturelle de Madrid, il faut citer des musées tels que le Musée Thyssen-Bornemisza, le Musée Centre d'Art Reina Sofia et le Musée National du Prado.

Madrid est internationalement connue pour ses équipes de football. Le Real Madrid est le club ayant remporté le plus de trophées internationaux du monde entier. L'autre grande équipe de la ville est l'Atlético de Madrid.

Madrid
DIE STADT

Madrid ist die Hauptstadt Spaniens. Mit seinen drei Millionen Einwohnern ist Madrid die bevölkerungsreichste Stadt Spaniens und steht in Europa an dritter Stelle, nach Berlin und London. Sie ist eine Stadt voller Geschichte und Kultur.

Madrid ist eine lebenslustige Stadt und ihr Nachtleben ist im ganzen Land berühmt. In dieser Stadt findet man Unterhaltung zu jeder Tages- und Nachtzeit. Einer der Orte, die zum Ausgehen einladen, ist die Gran Vía. In dieser Straße und ihren Nebenstraßen gibt es viele Theater, Restaurants und jede Art von Ausgehmöglichkeiten.

Andere wichtige Orte der Stadt sind die Puerta de Alcalá in der Alcalá-Straße, die eine der bekanntesten Madrids ist, die Puerta del Sol; die Plaza Mayor; oder der Retiro-Park.

Was Museen angeht sind hervorzuheben das Thyssen-Bornemisza, das Museo Nacional Centro de Arte Reina Sofía und das Museo Nacional del Prado.

Madrid ist international bekannt für seine Fußballteams. Der Real Madrid ist der Club, der weltweit am meisten internationale Trophäen erspielt hat. Der andere große Club der Stadt ist der Atlético de Madrid.

Madrid
DE STAD

Madrid is de hoofdstad van Spanje. Met drie miljoen inwoners is het de grootste stad van Spanje en de derde stad van de Europese Unie na Berlijn en Londen. Madrid is een stad vol geschiedenis en cultuur.

Madrid is een levendige stad en het nachtleven van Madrid is befaamd in het hele land. Op veel plaatsen in de stad kun je op iedere dag van de week terecht voor afleiding. Eén daarvan is de Gran Vía. In deze straat en omgeving zijn veel theaters, restaurants en andere uitgaansgelegenheden.

Andere interessante plaatsen zijn de Puerta de Alcalá in de straat Alcalá, een van de bekendste straten van Madrid; de Puerta del Sol; het plein Plaza Mayor; of het park El Retiro.

Het culturele aanbod is enorm in Madrid met beroemde musea zoals Thyssen-Bornemisza, het nationale museum Reina Sofia en het nationale museum El Prado.

Madrid staat internationaal bekend om haar voetbalteams. Real Madrid is de meest succesvolle voetbalclub ter wereld. De tweede club uit de stad is Atlético de Madrid.

Ocio
UN DOMINGO EN MADRID
....**p. 28-29**

Leisure
A SUNDAY IN MADRID

A Sunday morning is never boring in Madrid. This city is an ocean of leisure activities: museums, cultural visits, walks in parks, outdoor markets...

The Prado is one of the most frequently visited museums in the world and the most important for European painting. It has many of the great masterpieces of European painting from the 16th to the 19th century by great painters such as Goya, Velazquez, El Greco or Hieronymus Bosch.

The El Retiro Park is in the centre of Madrid. It contains a rose garden, a lake with boats, many green areas and the Crystal Palace and Velázquez Palace, now exhibition halls.

Another major museum is the Museo Nacional Centro de Arte Reina Sofía. It contains works by Dali, Bacon, Picasso... One of the star paintings is the Guernica, the famous painting by Pablo Picasso.

El Rastro is an outdoor market that has been held every Sunday since 1740. It currently it has more than 3,500 stalls. It is something that cannot be missed if you visit the city.

Loisirs
UN DIMANCHE À MADRID

Un dimanche matin ne peut pas être ennuyeux à Madrid. Cette ville est un océan de possibilités de loisirs : musées, visites culturelles, promenades dans les parcs, marchés en plein air...

Le Musée National du Prado est l'un des plus visités au monde et le plus important de peinture européenne. Il présente beaucoup de grands chefs-d'œuvre de la peinture européenne du XVIe au XIXe siècles, avec de grands peintres de l'histoire comme Goya, Velázquez, El Greco ou Jérôme Bosch.

Le parc d'El Retiro est sis au centre de Madrid. Nous y trouvons une roseraie, un étang avec des barques, de nombreux espaces verts, le Palais de Cristal et le Palais de Velázquez, actuellement de salles expositions.

Un autre des grands musées est le Musée National Centre d'Art Reina Sofía. Il comprend des œuvres de Dalí, Bacon, Picasso... Un des plus tableaux les plus importants est le Guernica, le célèbre tableau de Pablo Picasso.

Le Rastro est un marché en plein air qui se tient tous les dimanches depuis 1740. Actuellement, il compte plus de 3 500 stands. Il s'agit de l'une des visites obligées de la ville.

Freizeit
EIN SONNTAG IN MADRID

Ein Sonntagmorgen in Madrid kann nicht langweilig werden. Diese Stadt bietet unendlich viele Möglichkeiten, die Freizeit zu verbringen: Museen und andere kulturelle Einrichtungen, Spaziergänge im Park, Märkte und vieles andere mehr.

Das Museo Nacional del Prado ist eines der am meisten besuchten Museen der Welt und das wichtigste in Hinsicht auf die europäische Malerei. Es verfügt über viele große Meisterwerke der europäischen Malerei des 16. bis 19. Jahrhunderts von so großen Malern wie Goya, Velázquez, El Greco und El Bosco.

Der Retiro-Park liegt im Zentrum Madrids. In ihm finden wir einen Rosengarten, einen Teich mit Booten, viele Grünanlagen, sowie den Kristallpalast und den Palacio de Velázquez, in denen Ausstellungen stattfinden.

Ein weiteres wichtiges Museum ist das Museo Nacional Centro de Arte Reina Sofía. Dort gibt es Werke von Dalí, Bacon, Picasso und vielen anderen. Eine seiner Hauptattraktionen ist des berühmteste Gemälde Pablo Picassos, Guernica.

Der Rastro ist ein Freiluftmarkt, der seit 1740 jeden Sonntag stattfindet. Es gibt dort mehr als 3500 Verkaufstellen. Er muß einfach besucht werden.

Vrije tijd
EEN ZONDAG IN MADRID

Saaie zondagochtenden bestaan niet in Madrid. De stad spankelt altijd: musea, culturele bezoeken, wandelingen door een park, braderietjes enz.

Het nationale museum El Prado is een van de meest bezochte musea ter wereld en heeft de belangrijkste collectie schilderkunst van Europa. Hier hangen kunstwerken uit de zestiende en negentiende eeuw van de grote meesters zoals Goya, Velázquez, El Greco of Jeroen Bosch.

Het park El Retiro ligt midden in de stad. In het park liggen een rozentuin, een meer met bootjes, veel groen en het Palacio de Cristal (Glaspaleis) evenals het Paleis van Velázquez dat nu tentoonstellingen herbergt.

Andere musea die je niet mag missen zijn het nationale museum Reina Sofía. Hierin hangen werken van onder andere Dalí, Bacon, Picasso... Een van de blikvangers is de Guernica, het beroemdste schilderij van Pablo Picasso.

El Rastro is een braderie die sinds 1740 elke zondag wordt gehouden. Op deze markt zijn meer dan 3500 stands. Je moet hier geweest zijn.

La Puerta del Sol
EL CORAZÓN DE LA CIUDAD
.... p. 38-39

The Puerta del Sol
THE HEART OF THE CITY

The Puerta del Sol is a rectangular square in the centre of Madrid where the building of the Region of Madrid and some of its major landmarks are located.

In the Puerta del Sol there is always life and motion. You can see hundreds of people going in all directions, demonstrations, street musicians, people dressed up as Mickey Mouse, Sponge Bob and other children's characters, kids running around, people eating *churros*, families shopping...

In front of the Post Office (the oldest building in the square, with the clock tower) is 'kilometre zero', which is the origin of the Spanish radial roads.

The Royal Post Office building clock is used for the New Year countdown on 31 December. That night a big party is held in the Puerta del Sol to celebrate the arrival of the new year.

The bear and the strawberry tree is another landmark of the Puerta del Sol and is the emblem of the city. A photo with the statue is a must!

La Puerta del Sol
LE CŒUR DE LA VILLE

La Puerta del Sol est une place rectangulaire au centre de Madrid, où se trouvent l'édifice de la Communauté de Madrid et certains de ses symboles les plus emblématiques.

La vie et le mouvement ne cessent jamais à la Puerta del Sol. On peut y voir des centaines de personnes allant dans toutes les directions, des manifestations, des musiciens de rue, des gens déguisés en Mickey Mouse, Bob l'éponge et d'autres personnages pour enfants, des enfants courant partout, des gens mangeant des churros, des familles faisant du shopping...

Devant La Casa de Correos (le plus ancien bâtiment de la place, où se trouve l'horloge de la tour) se trouve le kilomètre zéro, qui est le point d'origine des routes radiales espagnoles.

C'est l'horloge du bâtiment de La Real Casa de Correos qui fait le compte-à-rebours pour le changement d'année, le 31 Décembre. Cette nuit-là, à la Puerta del Sol est organisée une grande fête pour célébrer l'arrivée de la nouvelle année.

L'ours et l'arbousier sont un autre symbole de la Puerta del Sol ; ensemble, ils sont l'emblème de la ville. La photographie devant la statue est obligatoire !

Die Puerta del Sol
DAS HERZ DER STADT

Die Puerta del Sol is ein rechtwinkliger Platz im Zentrum Madrids, an dem sich die Regionalregierung der Comunidad de Madrid und verschiedene Wahrzeichen der Stadt befinden.

Auf der Puerta del Sol ist immer was los. Dort gehen Menschen in alle Richtungen, Demonstrationen werden abgehalten, es gibt Straßenmusiker und Leute, die sich als Micky Maus, SpongeBob oder andere Zeichentrickfiguren verkleiden, spielende Kinder, snackende Passanten, Familien beim Einkauf...

Vor der Casa de Correos, dem ältesten Gebäude der Sadt, befindet sich dort wo der Uhrenturm ist der Null-Kilometer, von dem radial alle Landstraßen Spaniens ausgehen.

Die Uhr auf dem Turm der Casa de Correos dient an Sylvester zum Neujahrs-Countdown. In dieser Nacht wird auf der Puerta del Sol in das Neue Jahr hineingefeiert.

Auf der Puerta del Sol steht auch die Statue des Bärs am Erdbeerbaum, sie verkörpert das offizielle Wahrzeichen Madrids. Ein Photo mit dieser Statue ist ein Muss für jeden Besucher.

De Puerta del Sol
HET HART VAN DE STAD

De Puerta del Sol is een vierhoekig plein en vormt het centrale punt van de stad. Hier staan het gebouw van de deelregering van Madrid en een aantal symbolen van de stad.

Op dit plein valt altijd wel wat te beleven. Honderden mensen rennen alle kanten op, demonstraties, straatmuzikanten, mensen verkleed als Mickey Mouse, Sponge Bob en andere figuren, rennende kinderen, mensen die een snack eten, gezinnetjes die inkopen doen enz.

Tegenover het postgebouw (het oudste gebouw van het plein bij de kloktoren) ligt het nulpunt waar alle wegen binnen Spanje beginnen.

Op de klok van de toren bij het postgebouw wordt elk jaar afgeteld voor de jaarwisseling. Dit wordt grootschalig gevierd op de Puerta del Sol.

El oso y el madroño oftewel de beer en de aardbeiboom is een van de iconen van de Puerta del Sol en een embleem van de stad. Zonder een foto met dit standbeeld mag je de stad niet verlaten.

Comer en Madrid
LOS PLATOS ESTRELLA
.... **p. 48-49**

Eating in Madrid
THE STAR DISHES

Madrid offers a vast range of cuisine: you can find anything from the typical *tapas* bar to the most exclusive restaurant in the country, and eat dishes from all over the world or enjoy the most traditional dishes of the city.

Chocolate with *churros* is a typical Spanish dish eaten for breakfast or as a snack, especially in the winter months. Near the Plaza Mayor in Madrid you can eat it at San Gines, one of the city's most famous *churrerías*.

The Botin Restaurant is the world's oldest restaurant. It has been operating since 1725! It is located very near the Plaza Mayor and its most famous specialties include roasted suckling pig and lamb.

Fried eggs are a dish to be eaten freshly cooked. The ingredients are eggs, potatoes and ham. It is a simple but delicious recipe and one of the best restaurants in which to try it is Casa Lucio.

Madrid stew is one of the most typical dishes. It is a stew with chickpeas, meat and vegetables. It is served in three separate dishes. The Malacatín Restaurant or Cruz Blanca Vallecas Beer House are famous for their stews.

Manger à Madrid
LES PLATS VEDETTES

Madrid offre une grande variété gastronomique : on peut aussi bien trouver le typique bar à tapas que le restaurant le plus sélect de tout le pays, et manger des plats du monde entier ou déguster les plats les plus traditionnels de la ville.

Le chocolat avec des churros est un plat typique espagnol mangé au petit déjeuner ou au goûter, en particulier les mois d'hiver. Près de la Plaza Mayor de Madrid, vous pouvez en déguster à San Gines, l'une des plus célèbres *churrerías* de la ville.

Le restaurant Botín est le plus ancien au monde. Il est ouvert depuis 1725 ! Il est situé tout près de la Plaza Mayor et ses spécialités les plus célèbres incluent le cochon de lait et l'agneau rôtis.

Les œufs « rompus » sont un plat typique à manger fraîchement préparé. Les ingrédients sont des œufs, des pommes de terre et du jambon. C'est une recette simple mais délicieuse et l'un des meilleurs restaurants pour les goûter est Casa Lucio.

Le *cocido madrileño* est l'un des plats les plus typiques. Il s'agit d'une sorte de pot-au-feu de pois chiches, viandes et légumes. Il est servi en séparant les ingrédients en trois plats. Le restaurant Malacatín ou la Brasserie Cruz Blanca Vallecas sont célèbres pour leurs *cocidos*.

Essen in Madrid
SPEZIALITÄTEN

Madrid hat ein unermässliches Gastronomie-Angebot: hier findet man alles, von der typischen Tapas-Bar bis hin zum exklusivsten Restaurant des Landes und Gerichte aus allem Ländern der Welt oder auch typische Madrider Küche.

Chocolate con churros (heisse Schokolade mit Gebäck) wird in ganz Spanien gerne zum Frühstück oder als Nachmittagssnack verzehrt, besonders in den Wintermonaten. Das San Ginés ist eines der für diese Leckerei bekanntesten Lokale der Stadt. Es liegt nahe der Plaza Mayor.

Das Restaurant Botín ist das älteste der Welt, es besteht seit 1725! Es liegt sehr nahe der Plaza Mayor und seine bekanntesten Spezialitäten sind Spanferkel und gegrilltes Lamm.

Die *Huevos estrellados* müssen frisch zubereitet genossen werden. Seine Zutaten sind Spiegelei, Kartoffeln und Schinken. Das ist ein einfaches, aber köstliches Gericht. Eines der besten Restaurants, um es zu verkosten, ist das Casa Lucio.

Der *Cocido madrileño* ist eines der typischten Gerichte. Es ist ein Eintopf aus Kichererbsen, Fleisch und Gemüse. Er wird auf drei Tellern serviert. Das Restaurant Malacatín oder der Bierkeller Cruz Blanca Vallecas sind bekannt für ihre *Cocidos*.

In Madrid eten
DE TOPGERECHTEN

Madrid heeft voor iedere mond wel wat: Variërend van basic *tapas* tot de meest exclusieve restaurants van het land, gerechten uit de hele wereld of juist traditionele plaatselijke gerechten uit de stad.

Churros met chocoladesaus is typisch Spaans en wordt als ontbijt of tussendoortje genuttigd, vooral in de winter als het koud is. *Churros* kun je het beste kopen bij San Gines aan het belangrijkste plein van de stad, de Plaza Mayor. Dit is een van de bekendste plaatsen om *churros* te eten.

Restaurant Botín is het oudste restaurant van de stad. Het is in 1725 geopend. Het ligt vlakbij Plaza Mayor. De bekendste specialiteiten zijn gebraden big en lam.

De *huevos estrellados* (geklutste eieren) moeten meteen opgegeten worden. De ingrediënten zijn eieren, aardappelen en ham. Een eenvoudig maar heerlijk gerecht dat je het beste kunt eten bij Casa Lucio.

El *cocido madrileño* (Madrileense gebonden soep) is een echt streekgerecht. Het is een gebonden soep met erwten, vlees en groente. Het wordt op drie verschillende borden geserveerd. De restaurants Malacatín en Cervecería Cruz Blanca Vallecas staan bekend om deze soep.

¡Comparte tus fotos y vídeos de la ciudad!
#undiaenmadrid

Audios y soluciones de las actividades en
difusion.com/madrid.zip

¿Quieres leer más?